사고력 수학
전문가가 만든

원리셈

크기 비교와 여러 가지 세기

지은이의 말

수학은 원리로부터

수학은 구체물의 관계를 숫자와 기호의 약속으로 나타내는 추상적인 학문입니다. 이 점이 아이들이 수학을 어려워하는 가장 큰 이유입니다. 이러한 수학은 제대로 된 이해를 동반할 때 비로소 힘을 발휘할 수 있습니다. 수학은 어느 단계에서나 원리가 가장 중요합니다.

수학 교육의 변화

답을 내는 방법만 알아도 되는 수학 교육의 시대는 지나고 있습니다. 연산도 한 가지 방법만 반복 연습하기 보다 다양한 풀이 방법이 중요합니다. 교과서는 왜 그렇게 해야 하는지 가르쳐 주고 다양한 방법을 생각하도록 하지만, 학생들은 단순하게 반복되는 연습에 원리는 잊어버리고 기계적으로 답을 내다보니 응용된 내용의 이해가 부족합니다.

연산 학습은 꾸준히

유초등 학습 단계에 따라 4권~6권의 구성으로 매일 10분씩 꾸준히 공부할 수 있습니다. 원리와 다양한 방법의 학습은 그림과 함께 재미있게, 연습은 다양하게 진행하되 마무리는 집중하여 진행하도록 했습니다. 부담 없는 하루 학습량으로 꾸준히 공부하다 보면 어느새 연산 실력이 부쩍 늘어난 것을 알 수 있습니다.

개정판 원리셈은

동영상 강의 확대/초등 고학년 원리 학습 과정 강화 등으로 원리와 개념, 계산 방법을 더 쉽게 이해할 수 있도록 하고, 연습을 강화하여 학습의 완성도를 더했습니다.

학부모님들의 연산 학습에 대한 고민이 원리셈으로 해결되었으면 하는 바람입니다.

지은이 천종현

원리셈의 특징

☑ 원리셈의 학습 구성

한 권의 책은 매일 10분 / 매주 5일 / 4주 학습

☑ 원리셈의 시나브로 강해지는 학습 알고리즘

키즈 원리셈은

시작은 원리의 이해로부터, 마무리는 충분한 연습과 성취도 확인까지

☑ 체계적인 학습 구성

쉽게 이해하고 스스로 공부!
실수가 많은 부분은 별도로 확인하고 연습!
주제에 따라 실전을 위한 확장적 사고가 필요한 내용까지!
원리로 시작되는 단계별 학습으로 곱셈구구마저 저절로 외워진다고 느끼도록!

원리셈 전체 단계

 ## 키즈 원리셈

5·6 세	
1권	5까지의 수
2권	10까지의 수
3권	10까지의 수 세어 쓰기
4권	모아 세기
5권	빼어 세기
6권	크기 비교와 여러 가지 세기

6·7 세	
1권	10까지의 더하기 빼기 1
2권	10까지의 더하기 빼기 2
3권	10까지의 더하기 빼기 3
4권	20까지의 더하기 빼기 1
5권	20까지의 더하기 빼기 2
6권	20까지의 더하기 빼기 3

7·8 세	
1권	7까지의 모으기와 가르기
2권	9까지의 모으기와 가르기
3권	덧셈과 뺄셈
4권	10 가르기와 모으기
5권	10 만들어 더하기
6권	10 만들어 빼기

 ## 초등 원리셈

1학년	
1권	받아올림/ 내림 없는 두 자리 수 덧셈, 뺄셈
2권	덧셈구구
3권	뺄셈구구
4권	□ 구하기
5권	세 수의 덧셈과 뺄셈
6권	(두 자리 수)±(한 자리 수)

2학년	
1권	두 자리 수 덧셈
2권	두 자리 수 뺄셈
3권	세 수의 덧셈과 뺄셈
4권	곱셈
5권	곱셈구구
6권	나눗셈

3학년	
1권	세 자리 수의 덧셈과 뺄셈
2권	(두/세 자리 수)×(한 자리 수)
3권	(두/세 자리 수)×(두 자리 수)
4권	(두/세 자리 수)÷(한 자리 수)
5권	곱셈과 나눗셈의 관계
6권	분수

4학년	
1권	큰 수의 곱셈
2권	큰 수의 나눗셈
3권	분모가 같은 분수의 덧셈과 뺄셈
4권	소수의 덧셈과 뺄셈

5학년	
1권	혼합 계산
2권	약수와 배수
3권	분모가 다른 분수의 덧셈과 뺄셈
4권	분수와 소수의 곱셈

6학년	
1권	분수의 나눗셈
2권	소수의 나눗셈
3권	비와 비율
4권	비례식과 비례배분

키즈 원리셈의 단계별 학습 목표

초등학교 입학 준비는 키즈 원리셈으로!!

키즈 원리셈 단계를 고를 때는 아이의 배경지식에 따라 아래의 학습 목표를 참고하세요.

◉ 5·6세 단계

수와 연산을 처음 접하는 아이들을 위한 단계
수를 익히고, 덧셈, 뺄셈을 이해
덧셈, 뺄셈 기호는 나오지 않지만, 덧셈, 뺄셈의 상황을 그림으로 제시
필기를 최소화 / 붙임 딱지 이용
매주 마지막 5일차에는 재미있게 사고력 키우기 "사고력 팡팡 "

◉ 6·7세 단계

10까지의 수를 알지만 덧셈, 뺄셈을 처음 하는 아이들을 위한 단계
1에서 20까지의 수를 익히면서 더하기 빼기 1, 2, 3
수를 똑바로 세면 덧셈, 거꾸로 세면 뺄셈이라는 것을 이해하고 연산에 이용
수 세기를 먼저 배운 후, 같은 개념을 덧셈, 뺄셈에 적용
10이 넘어가는 덧셈도 받아올림을 하는 것이 아니라 수의 순서로 이해

◉ 7·8세 단계

한 자리 덧셈, 뺄셈의 개념은 있지만 연습이 필요한 아이들을 위한 단계
초등 1학년 1학기 교과에 해당하는 내용
가르기와 모으기를 충분하게 연습하면서 속도와 정확성을 올릴 수 있는 단계
1권~4권은 가르기와 모으기를 연습한 후 덧셈, 뺄셈의 개념으로 확장하여 연습
5권은 받아올림, 6권은 받아내림의 원리를 아주 쉽게 풀어놓아서 받아올림과 받아내림을 처음 배우는 아이들에게 강추!!

5·6세 단계 구성과 특징

수를 처음 공부하는 단계입니다. 붙임 딱지를 붙이고, 그림을 보고 구체물을 세면서 놀이하듯 수를 익힙니다.
총 6권 중 2권까지는 숫자를 연필로 쓰지 않고 붙임 딱지를 이용하고 3권부터는 숫자를 쓰도록 합니다.

원리

그림을 보며 붙임 딱지를 붙이거나 ○를 그리면서 자연스럽게 수를 셀 수 있도록 하였습니다.

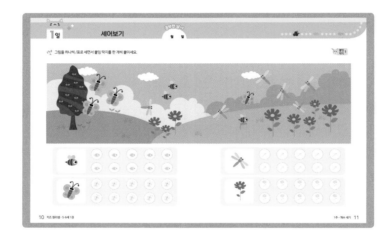

연습

손가락 세기, 엘리베이터의 버튼 붙이기 등 아이가 생활 속에서 쉽게 떠올릴 수 있는 소재들을 활용하여 다양하게 공부합니다.

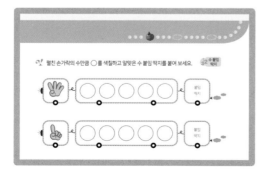

사고력 팡팡

매주의 마지막 5일차는 재미있게 사고력을 키울 수 있는 사고력 팡팡을 진행합니다. 수를 처음 배우는 단계이므로 어려운 내용보다는 직관적이고 재미있게 해결할 수 있도록 구성하였습니다.

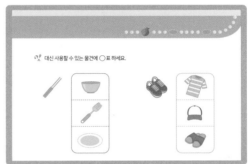

붙임 딱지

수를 처음 배우는 아이들이 붙임 딱지를 붙이면서 재미있게 수를 익힐 수 있도록 하였습니다.

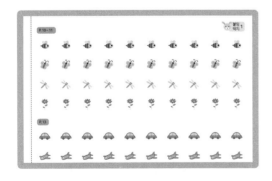

성취도 평가

개념의 이해와 연산의 수행에 부족한 부분은 없는지 성취도 평가를 통해 확인합니다.

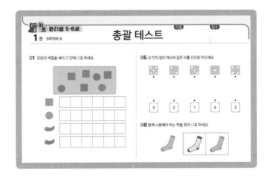

✅ 책의 사이사이에 학생의 학습을 돕기 위한 저자의 내용을 잘 이용하세요.

📚 단원의 학습 내용과 방향

한 주차가 시작되는 쪽의 아래에 그 단원의 학습 내용과 어떤 방향으로 공부하는지를 설명해 놓았습니다.
학부모님이나 학생이 단원을 시작하기 전에 가볍게 읽어 보고 공부하도록 해 주세요.

📖 이해를 돕는 저자의 동영상 강의

공부를 시작하기 전에 표지의 QR코드를 확인하세요. 책의 학습 흐름과 목표, 그리고 그동안 원리셈을 먼저 공부한 아이들이 겪은 어려움에 대한 대처 방안 등을 설명해 줍니다.

📘 학습 Tip   간략한 도움글은 각 쪽의 아래에 있습니다.

✏️ 천종현수학연구소 네이버 카페와 홈페이지를 활용하세요.

카페와 홈페이지에는 추가 문제 자료가 있고, 연산 외에서 수학 학습에 어려움을 상담 받을 수 있습니다.

네이버에서 천종현수학연구소를 검색하세요.

더 큰 수

개수, 높이, 들이를 예로 더 큰 수를 인지하고 큰 수를 찾을 수 있도록 합니다.

○의 개수가 더 많은 쪽에 ○표 하세요.

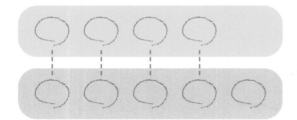
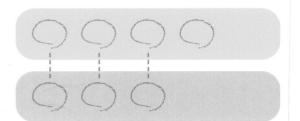

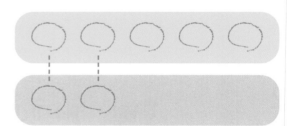

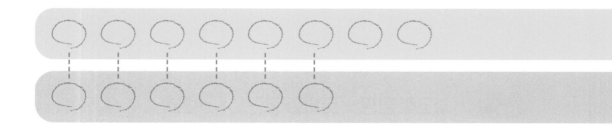

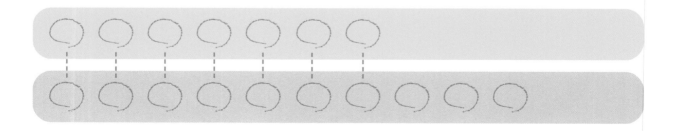

수만큼 ◯를 그리고 개수가 더 많은 수에 ◯표 하세요.

4 | ◯ | ◯ | ◯ | ◯ | | |

5 | | | | | |

1 | ◯ | | | | | |

3 | | | | | |

1 | | | | | | |

3 | | | | | |

2 | | | | | | |

4 | | | | | |

6 | | | | | | | | |

7 | | | | | | | | |

9 | | | | | | | | | |

8 | | | | | | | | |

점! 수만큼 ◯를 그렸어요.

1 ◯
2 ◯ ◯
3 ◯ ◯ ◯
4 ◯ ◯ ◯ ◯
5 ◯ ◯ ◯ ◯ ◯
6 ◯ ◯ ◯ ◯ ◯ ◯
7 ◯ ◯ ◯ ◯ ◯ ◯ ◯
8 ◯ ◯ ◯ ◯ ◯ ◯ ◯ ◯
9 ◯ ◯ ◯ ◯ ◯ ◯ ◯ ◯ ◯
10 ◯ ◯ ◯ ◯ ◯ ◯ ◯ ◯ ◯ ◯

★ 큰 수는 개수가 더 많아요. 두 수 중 큰 수에 ◯표 하세요.

| 2 | 1 | | 6 | 5 | | 3 | 4 | | 7 | 8 |

| 6 | 7 | | 2 | 3 | | 10 | 9 | | 4 | 5 |

블록이 더 높은 수

공부한 날~!

월   일

💡 파란색 블록과 빨간색 블록 중 더 높이 쌓은 블록에 ◯표 하세요.

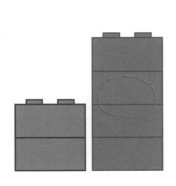

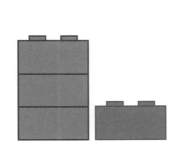

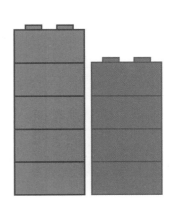

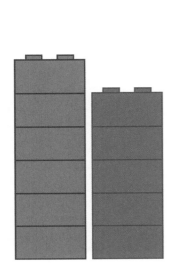

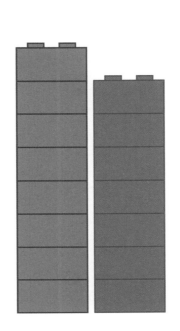

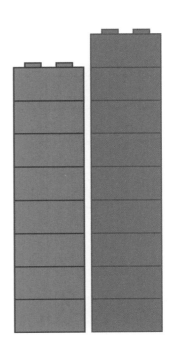

수만큼 블록을 색칠하고 블록이 더 높은 수에 ◯표 하세요.

색연필

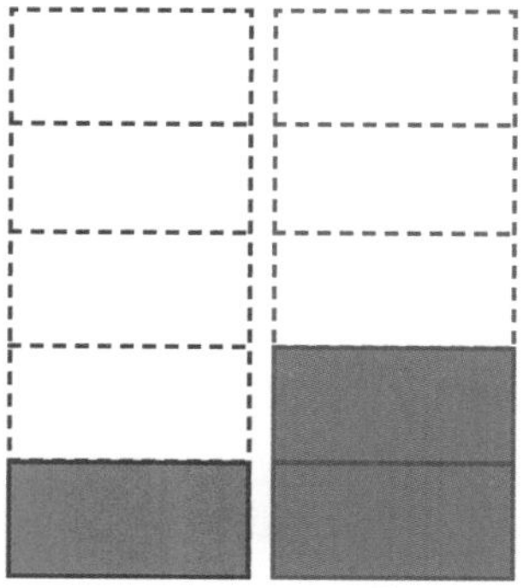

1　②

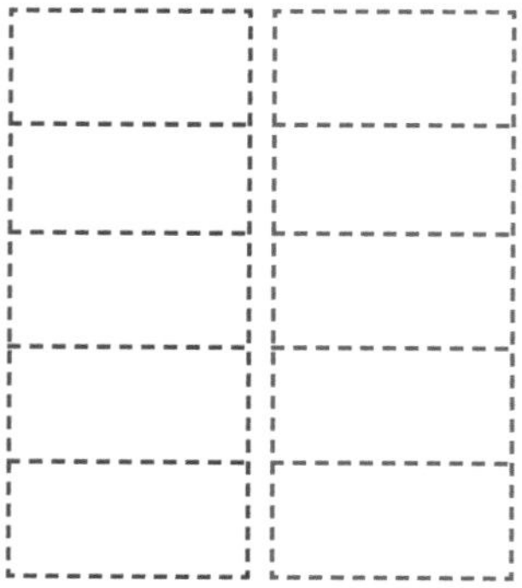

3　5

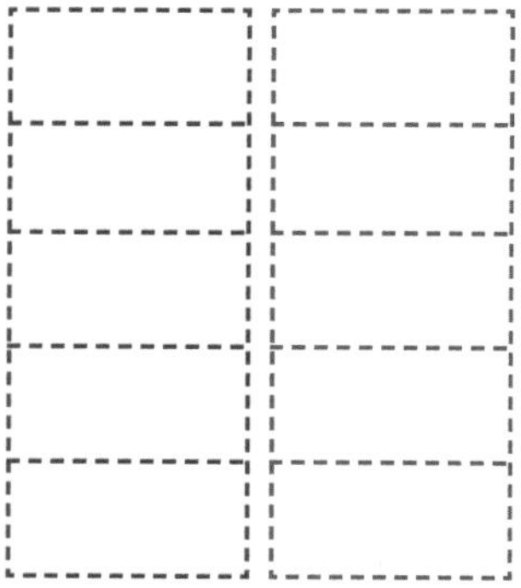

4　2

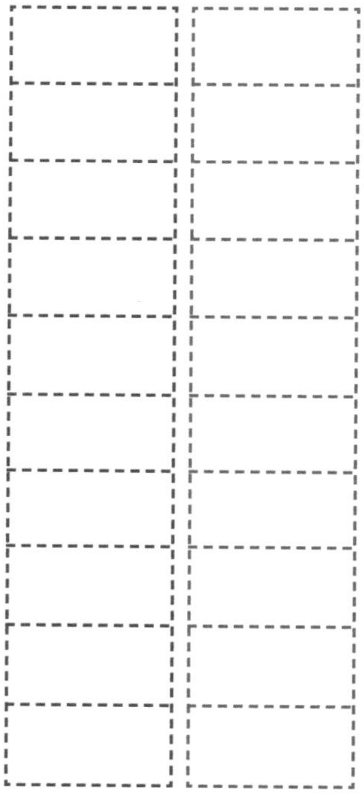

5　7

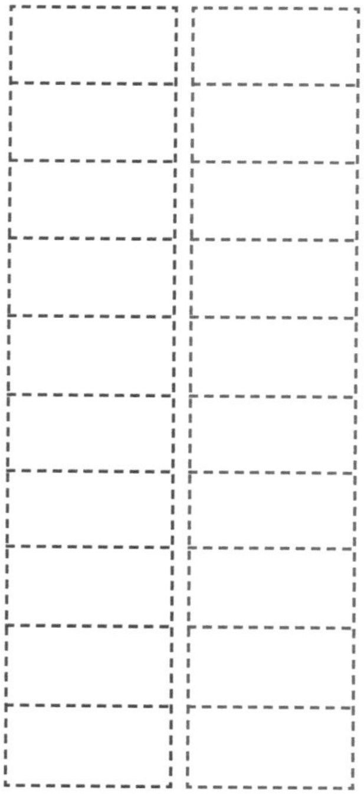

6　9

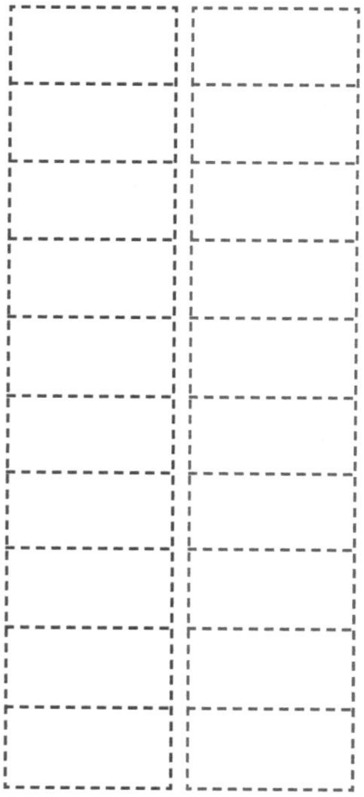

8　7

수만큼 블록을 쌓았어요.

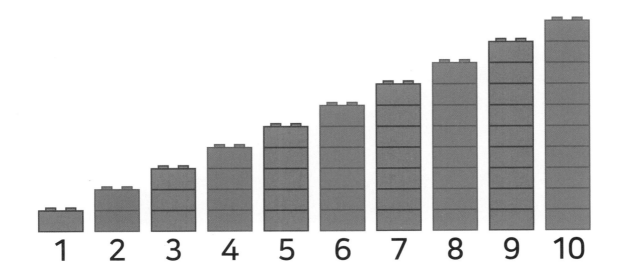

1 2 3 4 5 6 7 8 9 10

★ 큰 수는 블록의 높이가 더 높아요. 두 수 중 큰 수에 ◯표 하세요.

| 3 | 1 | 5 | 3 | 4 | 6 | 8 | 10 |

| 7 | 5 | 2 | 5 | 8 | 6 | 2 | 4 |

우유가 더 많은 수

눈금이 있는 컵에 우유를 따랐어요. 둘 중 우유가 더 많은 컵에 ◯표 하세요.

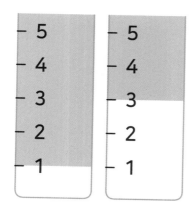

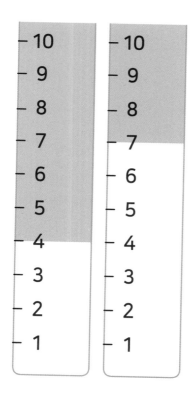

수만큼 컵에 우유를 그리고 우유가 더 많은 컵에 ◯표 하세요.

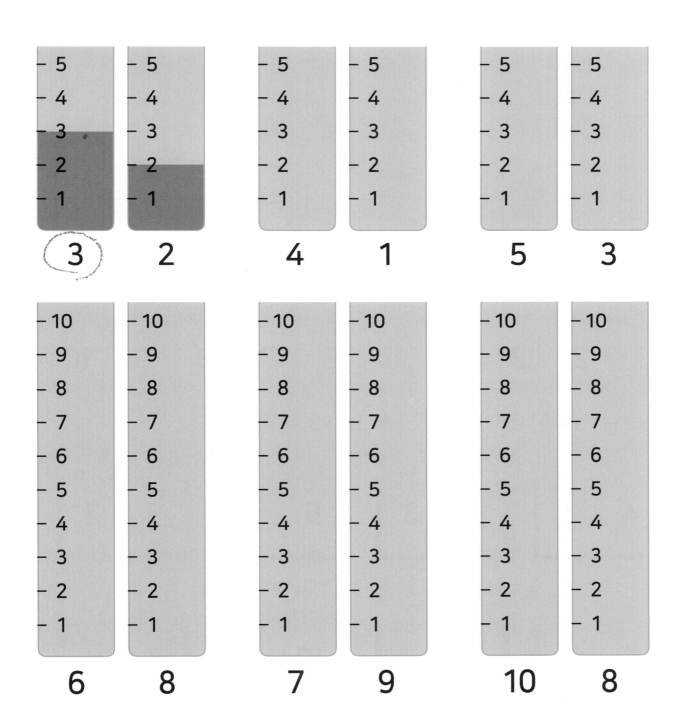

⑶ 2

4 1

5 3

6 8

7 9

10 8

수만큼 우유를 따랐어요.

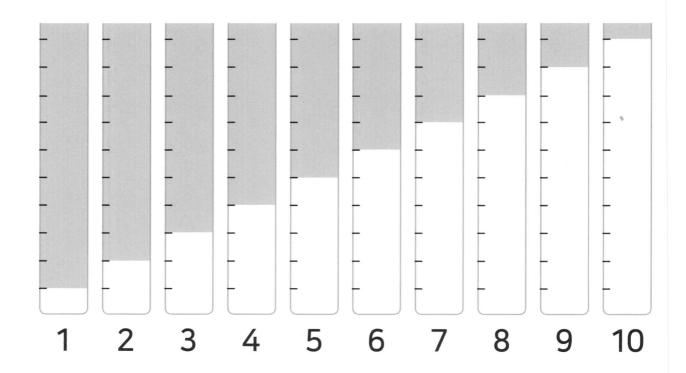

1 2 3 4 5 6 7 8 9 10

★ 큰 수는 우유를 더 많이 따라요. 두 수 중 큰 수에 ◯표 하세요.

4	1
2	3
6	4
5	2

4	7
8	7
10	8
7	9

더 큰 수

🎵 수를 차례로 써놓았어요.

1   2   3   4   5   6   7   8   9   10

★ 둘 중 더 큰 수에 ◯표 하세요.

| 1 | 10 | | 4 | 2 | | 9 | 3 | | 8 | 7 |

| 4 | 6 | | 3 | 5 | | 5 | 6 | | 4 | 1 |

| 8 | 3 | | 9 | 2 | | 7 | 5 | | 5 | 9 |

수를 차례로 나열할 때 더 늦게 나오는 수가 더 큰 수임을 이야기해 주세요.

양팔저울 위 두 수 중 더 큰 수에 ↓표 하세요.

더 큰 수가 있는 길을 선택하여 집으로 가는 길을 그리세요.

사고력 팡팡 – 토끼와 당근

토끼가 집에 가는 길에 당근을 3개 주울 수 있는 길을 그리세요.

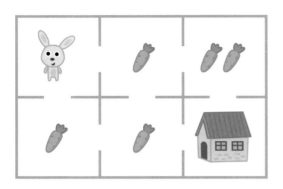

토끼가 집에 가는 길에 당근 1개와 무 1개를 주울 수 있는 길을 그리세요.

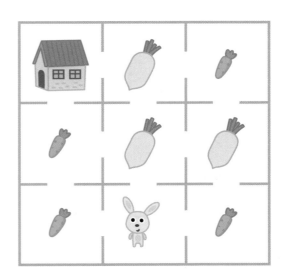

토끼가 집에 가는 길을 그리세요.

2
주차

더 작은 수

개수, 높이, 길이를 예로 더 작은 수를 인지하고 작은 수를 찾을 수 있도록 합니다.

개수가 더 적은 수

○의 개수가 더 적은 쪽에 △표 하세요.

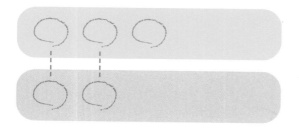

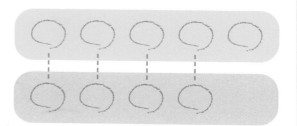

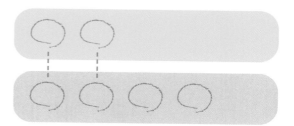

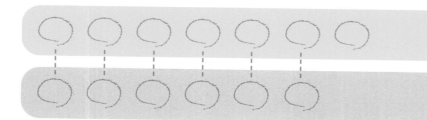

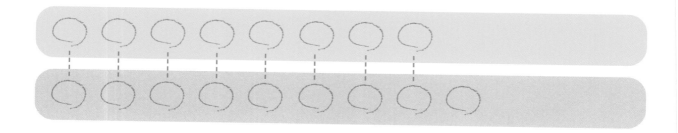

수만큼 ◯를 그리고 개수가 더 적은 수에 △표 하세요.

2 | ◯ | ◯ | | | |

3 | | | | | |

△1 | ◯ | | | | |

4 | | | | | |

2 | | | | | |

5 | | | | | |

3 | | | | | |

4 | | | | | |

8 | | | | | | | | |

7 | | | | | | | | |

9 | | | | | | | | | |

10 | | | | | | | | | |

🎵 수만큼 ◯를 그렸어요.

1   ◯
2   ◯ ◯
3   ◯ ◯ ◯
4   ◯ ◯ ◯ ◯
5   ◯ ◯ ◯ ◯ ◯
6   ◯ ◯ ◯ ◯ ◯ ◯
7   ◯ ◯ ◯ ◯ ◯ ◯ ◯
8   ◯ ◯ ◯ ◯ ◯ ◯ ◯ ◯
9   ◯ ◯ ◯ ◯ ◯ ◯ ◯ ◯ ◯
10   ◯ ◯ ◯ ◯ ◯ ◯ ◯ ◯ ◯ ◯

★ 작은 수는 개수가 더 적어요. 두 수 중 작은 수에 ◯표 하세요.

| 3 | 2 | | 1 | 4 | | 5 | 3 | | 6 | 4 |

| 5 | 7 | | 8 | 7 | | 9 | 8 | | 9 | 10 |

더 낮은 층은?

토끼와 여우 중 더 낮은 층에 사는 동물에 △ 표 하세요.

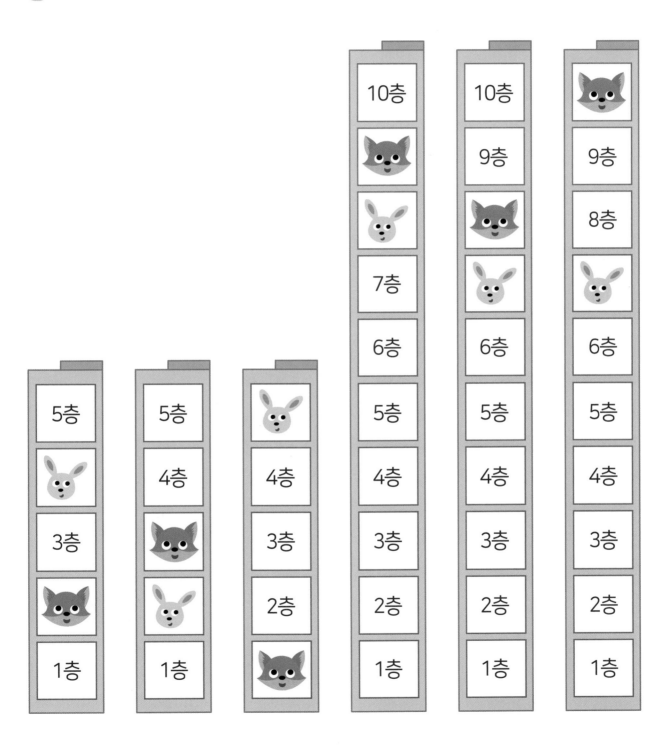

수에 알맞은 층에 동물 붙임 딱지를 붙이고 더 낮은 층에 △표 하세요.

5층	5층	5층	10층	10층	10층
4층	4층	4층	9층	9층	9층
3층	3층	3층	8층	8층	8층
2층	2층	2층	7층	7층	7층
1층	1층	1층	6층	6층	6층
			5층	5층	5층
			4층	4층	4층
			3층	3층	3층
			2층	2층	2층
			1층	1층	1층

🐰 : 2층   🐰 : 3층   🐰 : 4층   🐰 : 8층   🐰 : 6층   🐰 : 7층
🐺 : 3층   🐺 : 5층   🐺 : 2층   🐺 : 10층   🐺 : 4층   🐺 : 6층

건물은 올라갈수록 층을 나타내는 수가 커지고 내려갈수록 수가 작아져요. 두 수 중 작은 수에 △표 하세요.

10층		
9층		
8층		
7층		
6층		
5층		
4층		
3층		
2층		
1층		

2 3   4 1

5 4   3 6

7 8   9 5

8 10   7 6

더 짧은 것은?

파란 막대와 빨간 막대 중 길이가 더 짧은 막대에 △ 표 하세요.

수에 알맞은 막대 붙임 딱지를 붙이고 더 짧은 막대에 △ 표 하세요.

1 ⬜

4 ⬜

2 ⬜

3 ⬜

2 ⬜

5 ⬜

3 ⬜

4 ⬜

6 ⬜

7 ⬜

9 ⬜

8 ⬜

그림은 수를 나타내는 길이 막대에요.

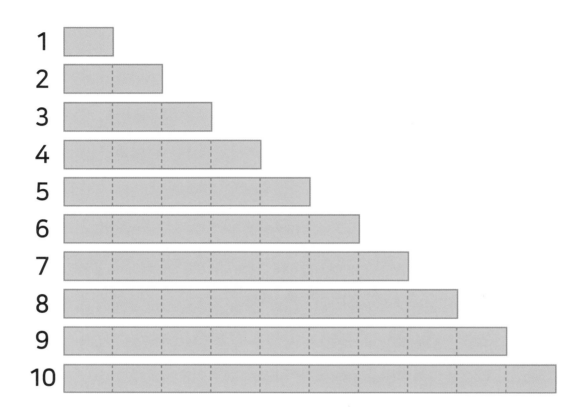

1
2
3
4
5
6
7
8
9
10

★ 작은 수는 길이가 더 짧아요. 두 수 중 작은 수에 △ 표 하세요.

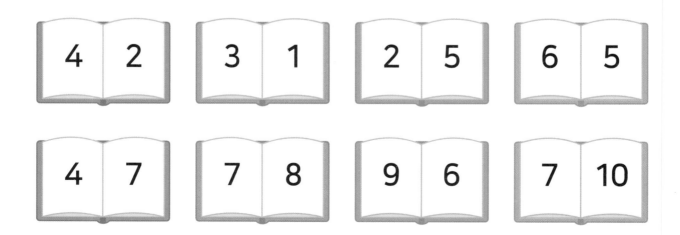

| 4 | 2 | 3 | 1 | 2 | 5 | 6 | 5 |
| 4 | 7 | 7 | 8 | 9 | 6 | 7 | 10 |

더 작은 수

🐛 수를 차례로 써놓았어요.

1   2   3   4   5   6   7   8   9   10

⭐ 둘 중 더 작은 수에 △ 표 하세요.

양팔저울 위 두 수 중 더 작은 수에 ↑표 하세요.

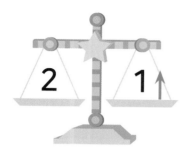
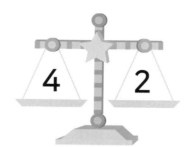

더 작은 수를 선택하여 집을 찾아주세요.

사고력 팡팡 – 길 찾기

미로를 빠져나가는 방법을 화살표로 설명할 수 있어요.

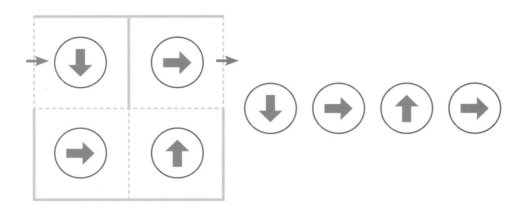

★ 다음 미로를 빨간색 화살표(→)로 들어가서 파란색 화살표(→)로 나오도록 ◯ 안에 화살표 붙임 딱지를 붙이세요.

붙임
딱지 1

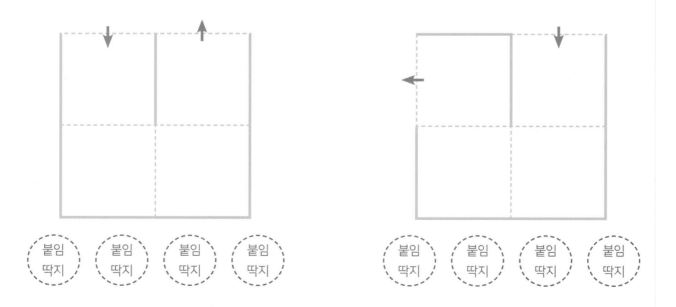

★ 다음 미로를 빨간색 화살표(→)로 들어가서 파란색 화살표(→)로 나오도록 ◯ 안에 화살표 붙임 딱지를 붙이세요.

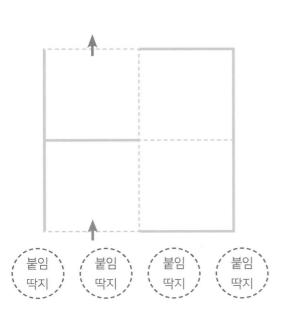

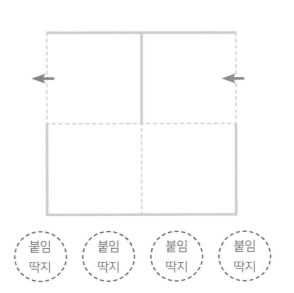

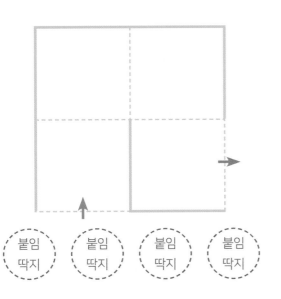

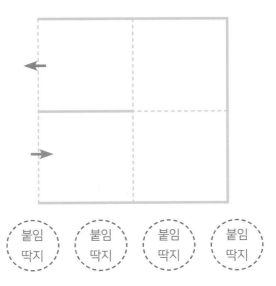

빨간색 화살표(→)로 들어가서 보물을 찾으러 가는 방법을 ◯ 안에 화살표 붙임 딱지로 나타내세요.

붙임 딱지 1

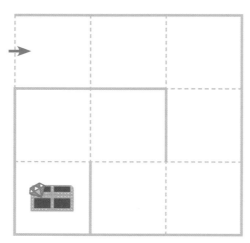

(붙임 딱지) (붙임 딱지) (붙임 딱지) (붙임 딱지) (붙임 딱지) (붙임 딱지) (붙임 딱지) (붙임 딱지)

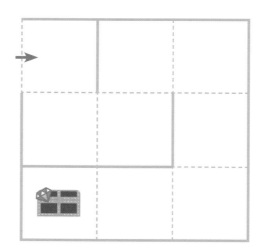

(붙임 딱지) (붙임 딱지) (붙임 딱지) (붙임 딱지) (붙임 딱지) (붙임 딱지) (붙임 딱지) (붙임 딱지)

5부터 세기

5보다 큰 수를 빠르게 세기 위해서 5를 묶어서 5부터 세는 연습을 합니다. 5보다 큰 수를 빠르게 파악하는데 도움이 됩니다.

5보다 큰 수

구슬을 세어 수를 쓰세요.

수를 손가락으로 나타내었습니다. 빈칸에 알맞은 손가락 붙임 딱지를 붙이세요.

붙임 딱지 2

펼쳐진 손가락을 세어 수를 쓰세요.

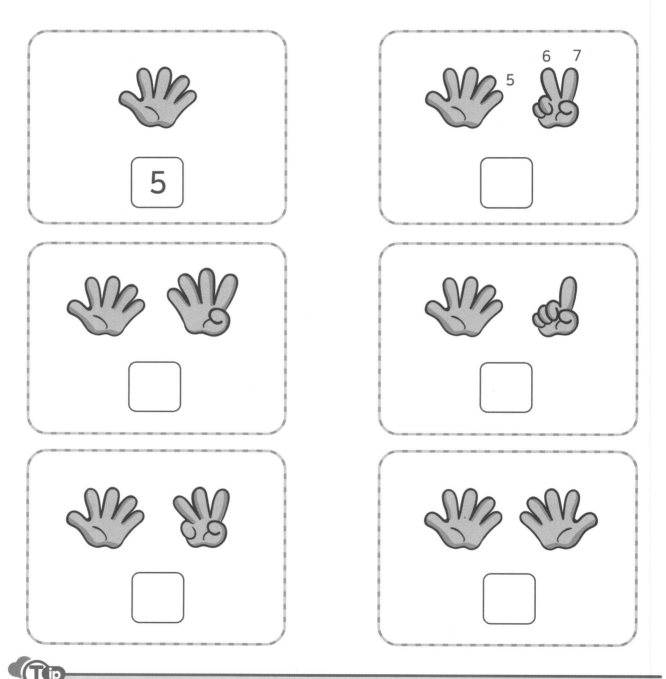

5 묶어 세기

🐱 구슬 5개를 ◯로 묶고 구슬의 개수를 세어 쓰세요.

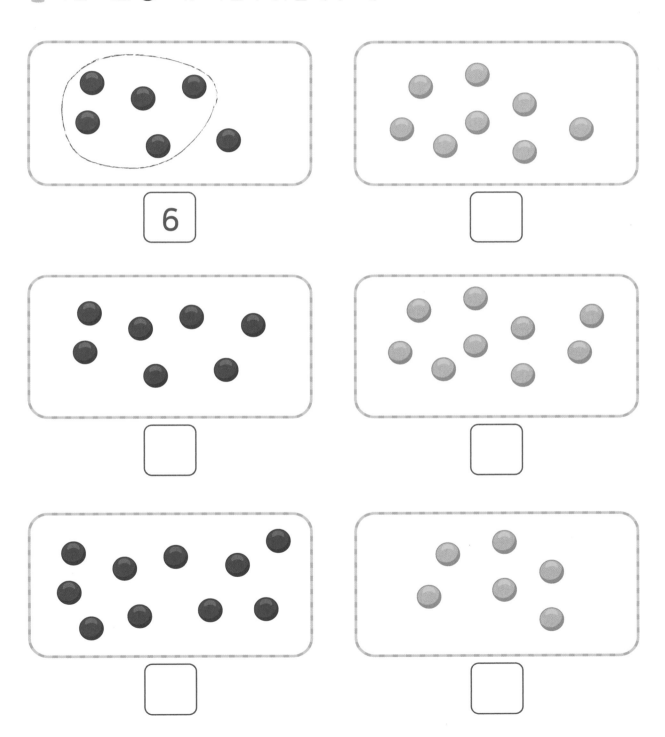

6

두 손의 손가락을 세어 수를 쓰세요.

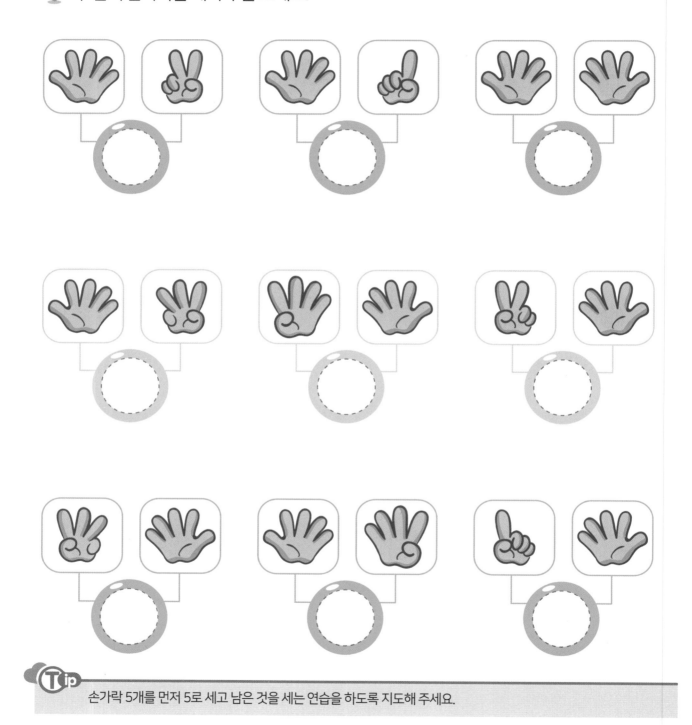

Tip

손가락 5개를 먼저 5로 세고 남은 것을 세는 연습을 하도록 지도해 주세요.

🐛 █ 막대의 개수를 쓰세요.

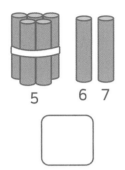

5   6   7

[ ]

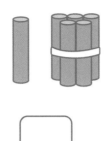

[ ]

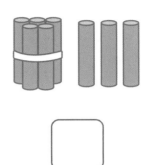

[ ]

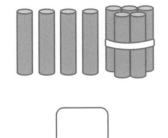

[ ]

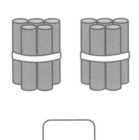

[ ]

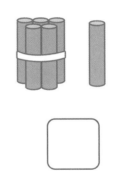

[ ]

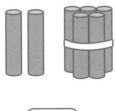

[ ]

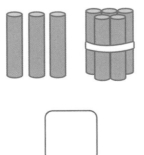

[ ]

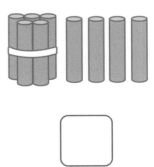

[ ]

5에 더하여 세기

💡 그림이 모두 ◯안의 수가 되도록 붙임 딱지를 붙이세요.

9

8

6
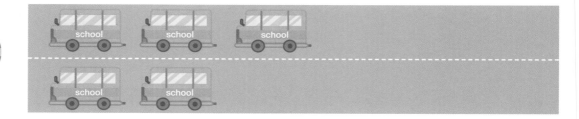

7

10
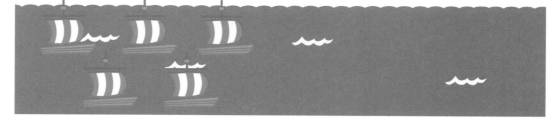

○안에 수만큼 색칠되도록 □를 더 색칠하세요.

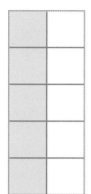

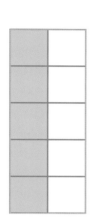

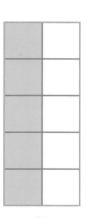

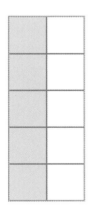

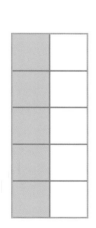

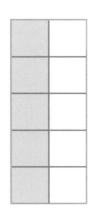

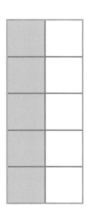

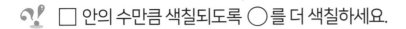 □ 안의 수만큼 색칠되도록 ◯를 더 색칠하세요.

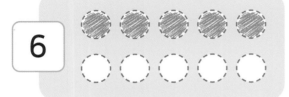

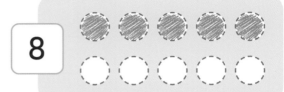

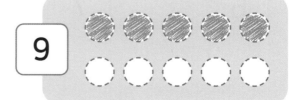

보이지 않는 상자

상자 안에 구슬을 5개 넣고 뚜껑을 닫았어요.

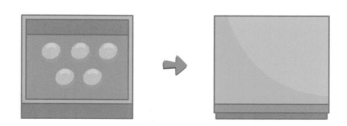

★ 상자 안의 구슬을 포함한 구슬의 개수를 쓰세요.

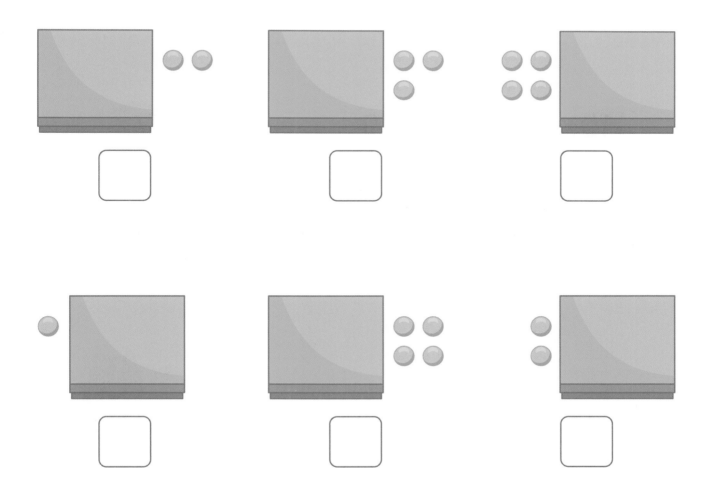

🐛 🪧 안의 수는 전체 도토리 개수에요. 나뭇잎에 가려진 도토리 개수를 ☐에 쓰세요.

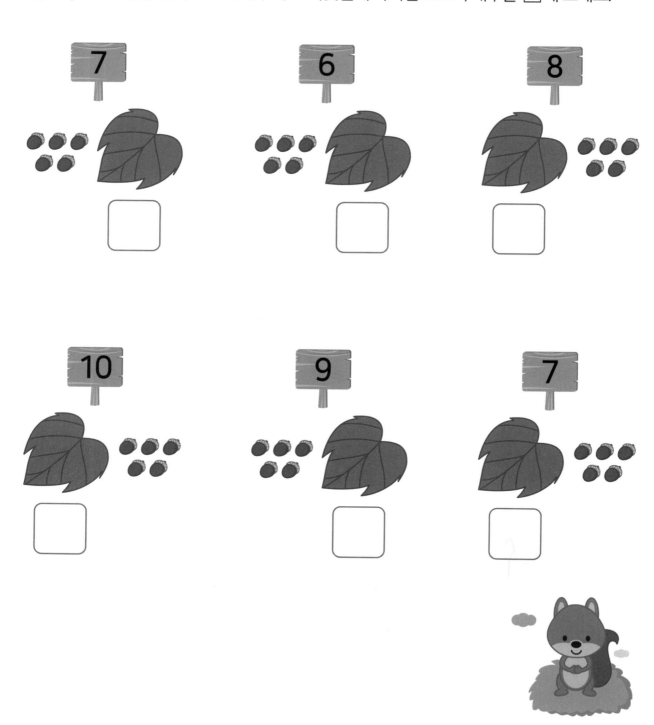

상자 안에는 사과 5개가 들어 있어요. 전체 사과의 개수에 ◯표 하세요.

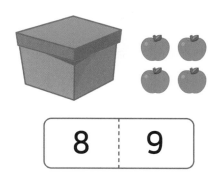

8	9

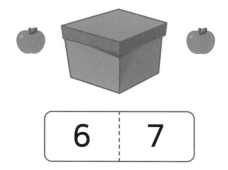

6	7

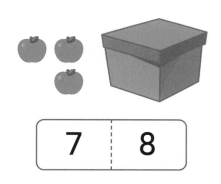

7	8

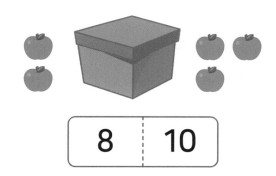

8	10

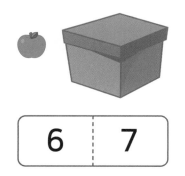

6	7

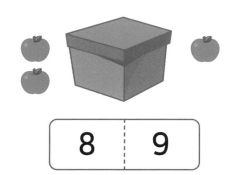

8	9

💡 빨간색 화살표(→)에서 시작하여 모든 칸을 한 번씩 지나 파란색 화살표(→)에서 끝나는 길을 그리세요.

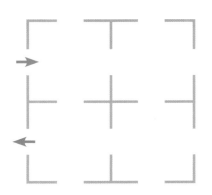

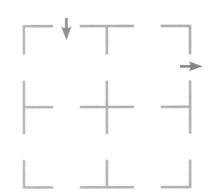

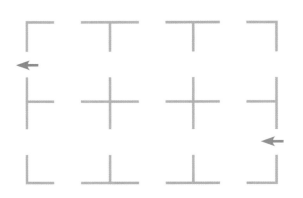

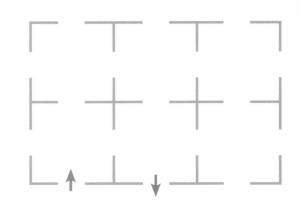

빨간색 화살표(→)에서 시작하여 귀신이 없는 모든 칸을 한 번씩 지나 파란색 화살표(→)에서 끝나는 길을 그리세요.

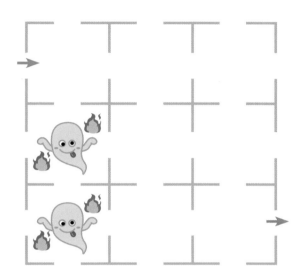

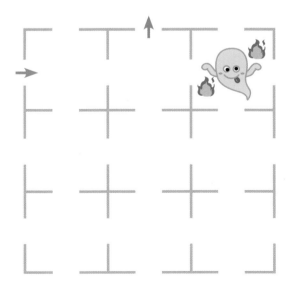

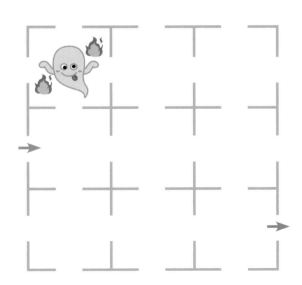

빨간색 화살표(→)에서 시작하여 귀신이 없는 모든 칸을 한 번씩 지나 파란색 화살표(→)에서 끝나는 길을 그리세요.

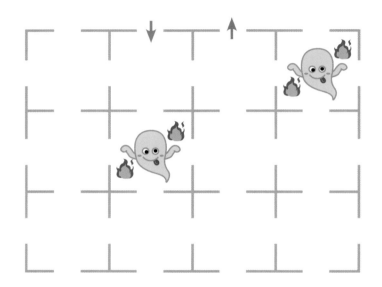

5 묶어 세기

수를 나타내는 여러 가지 방법을 알아보면서 5보다 큰 수는 5를 묶어서 세도록 합니다. 나무 막대 수, 한자 수 등을 알아야 하는 것은 아닙니다. 이들을 소재로 수의 구조를 이해합니다.

손가락 수

펼쳐진 손가락의 개수에 알맞게 ◯ 안에 수를 쓰세요.

펼쳐진 손가락의 개수와 똑같은 수를 선으로 이으세요.

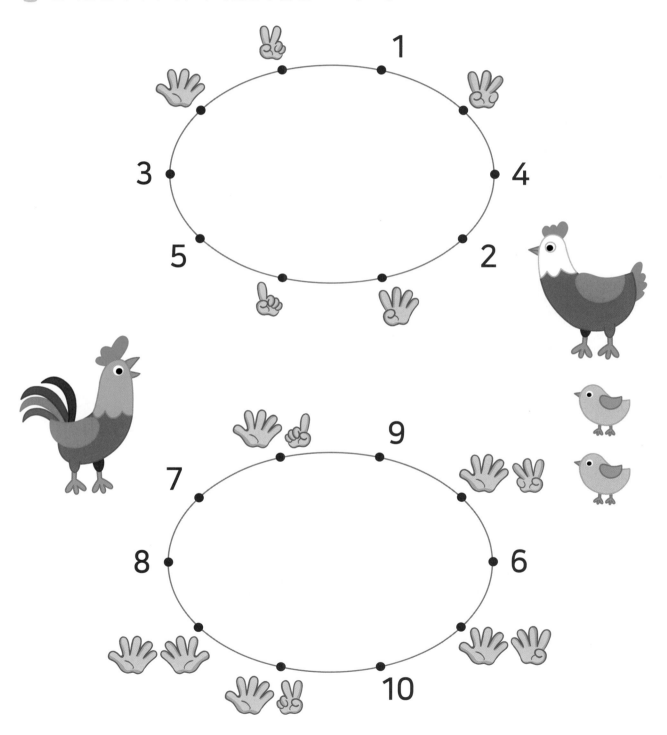

사탕의 개수에 알맞은 손 붙임 딱지를 붙이고 ◯ 안에 수를 쓰세요.

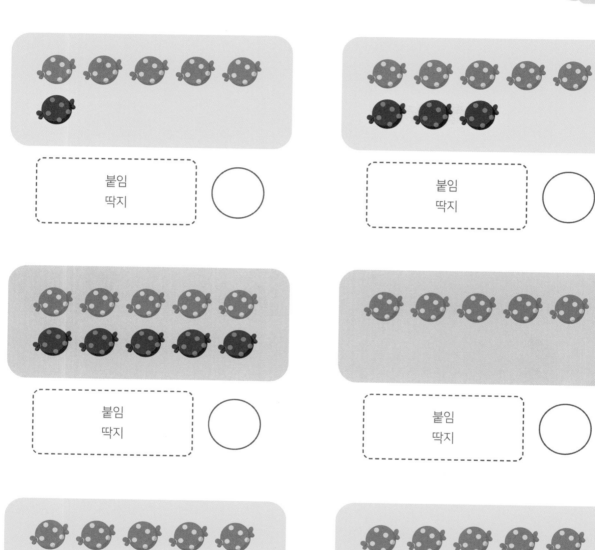

붙임
딱지 ◯

붙임
딱지 ◯

붙임
딱지 ◯

붙임
딱지 ◯

붙임
딱지 ◯

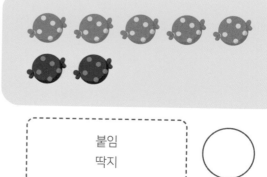

붙임
딱지 ◯

나무 막대 수

옛날 사람들은 나무 막대로 수를 나타내었어요.

/ : 1   **//** : 2   **///** : 3

//// : 4   **////** : 5   **//// /** : 6

★ 다음 나무 막대 수가 나타내는 수를 쓰세요.

: ☐   : ☐

: ☐   : ☐

과일의 개수에 알맞은 나무 막대 수 붙임 딱지를 붙이세요.

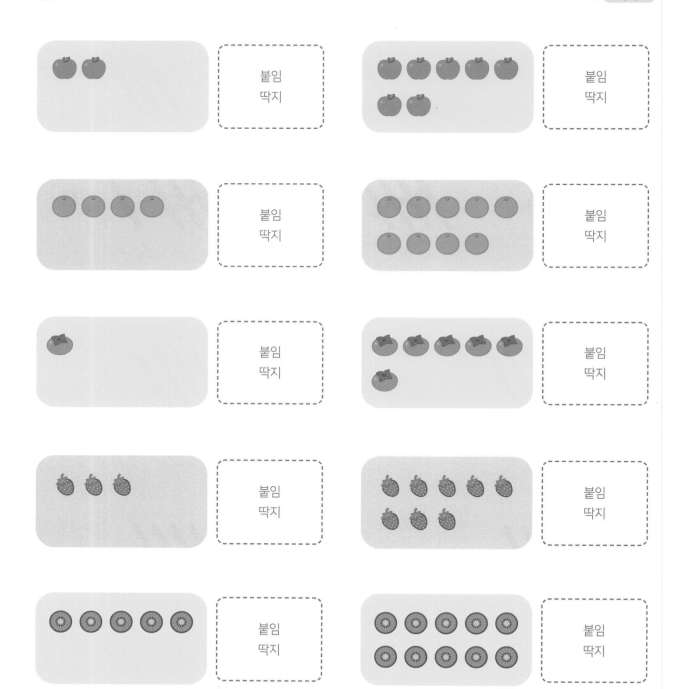

학용품의 개수에 알맞게 나무 막대 수를 그리세요.

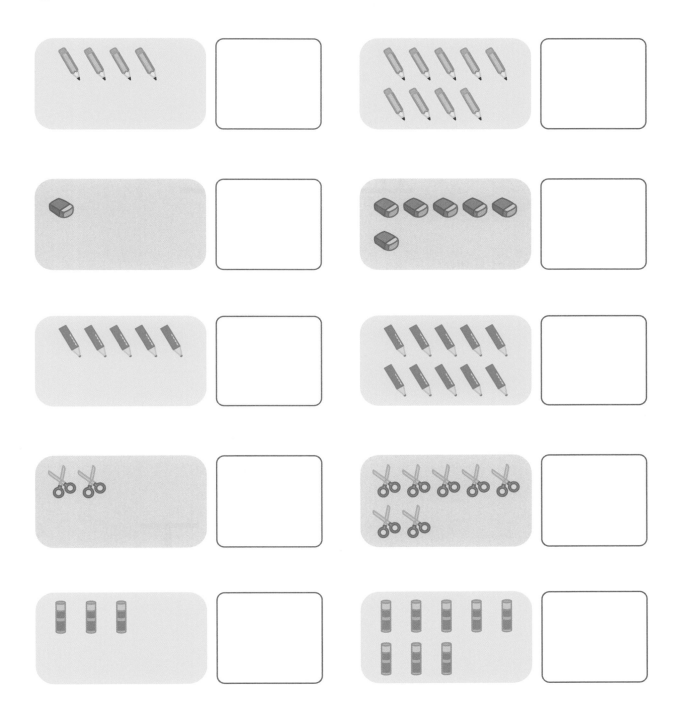

한자 수(正)

선이 5개인 모양 正 로 수를 나타낼 수 있어요.

一 : 1   丅 :2   丆 :3

疋 :4   正 :5   正一 :6

★ 모양으로 나타낸 수를 쓰세요.

正 丅 : ☐   正 正 : ☐

正 疋 : ☐   正 丅 : ☐

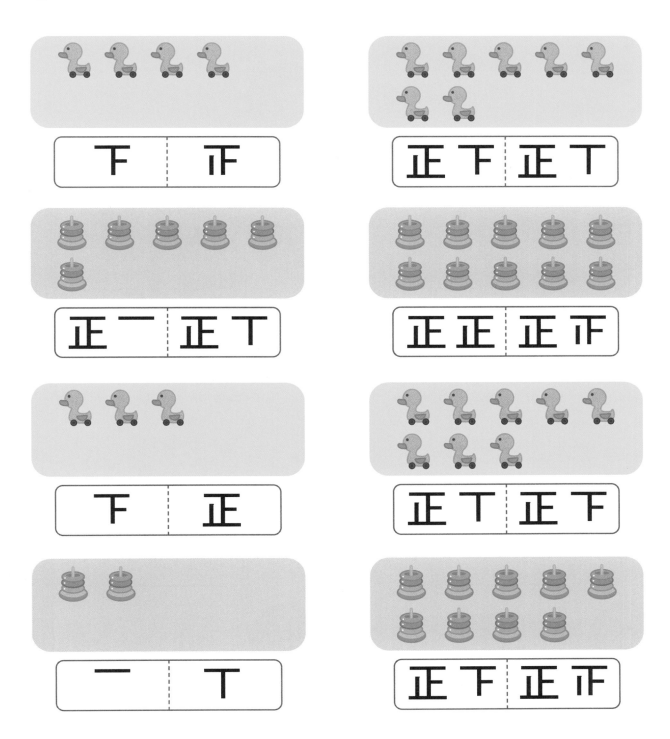

장난감의 개수에 알맞은 모양 수에 ◯표 하세요.

수에 알맞게 선을 따라 모양 수를 그리세요.

2 　正

5 　正

4 　正

1 　正

3 　正

7 　正 正

10 　正 正

9 　正 正

6 　正 正

8 　正 正

4일 로마 수

공부한 날~!

월　일

⑦! 옛날 어떤 사람들은 다음과 같이 수를 썼어요.

Ⅰ : 1　　　Ⅱ : 2　　　Ⅲ : 3

Ⅲ : 4　　　Ⅴ : 5　　　Ⅵ : 6　　　Ⅹ : 10

★ 그림에 알맞은 수를 쓰세요.

 : ⬜　　　 : ⬜

Ⅷ : ⬜

Ｔ ip

5 묶어 세기를 공부하기 위해서 Ⅳ(4)를 Ⅲ로 Ⅸ(9)를 Ⅷ로 나타내도록 했습니다.

같은 수를 선으로 이으세요.

2 •   • Ⅱ   Ⅶ •   • 10

1 •   • Ⅲ   Ⅷ •   • 6

3 •   • Ⅴ   Ⅹ •   • 8

5 •   • Ⅲ   Ⅷ •   • 9

4 •   • Ⅰ   Ⅵ •   • 7

Tip

로마 수를 알 필요는 없습니다. 앞 쪽을 보면서 풀도록 도와 주세요.

모양이 나타내는 수를 1부터 차례로 10까지 선으로 이으세요.

병아리가 엄마 닭을 찾아 가는 길을 그렸어요.

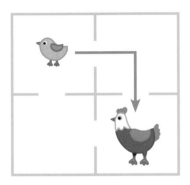

★ 병아리와 아기 독수리가 엄마를 찾아 가는 길을 그려 보세요. 단, 아기 독수리는 병아리를 잡아 먹기 때문에 두 길이 같은 칸에서 만나면 안돼요.

★ 병아리와 아기 독수리가 엄마를 찾아 가는 길을 그려 보세요. 단, 아기 독수리는 병아리를 잡
  아 먹기 때문에 두 길이 같은 칸에서 만나면 안돼요.

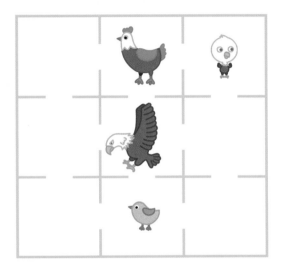

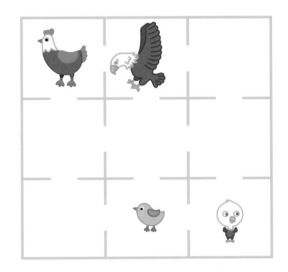

★ 병아리와 아기 독수리가 엄마를 찾아 가는 길을 그려 보세요. 단, 아기 독수리는 병아리를 잡아 먹기 때문에 두 길이 같은 칸에서 만나면 안돼요.

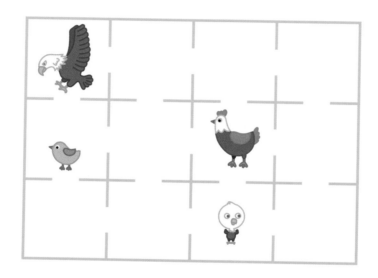

P. 30

P. 33

P. 38 ~ 40

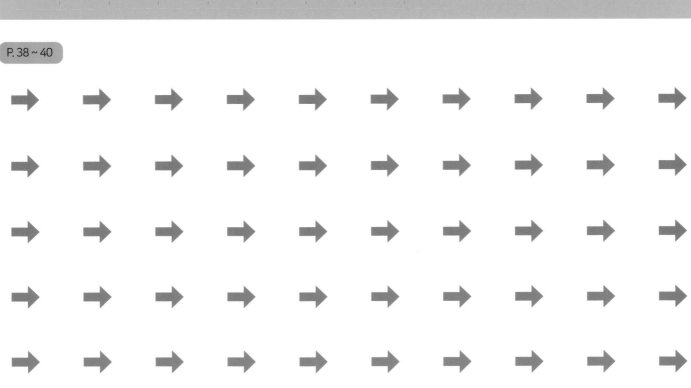

P. 43

P. 48

P. 60

P. 62

자르는

총괄 테스트

01 ○의 개수가 더 많은 쪽에 ○표 하세요.

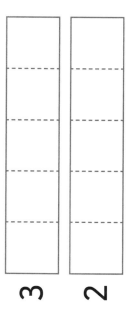

02 파란색 블록과 빨간색 블록 중 더 높이 쌓은 블록에 ○표 하세요.

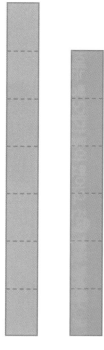

03 눈금이 있는 컵에 음료수를 따랐어요. 둘 중 음료수가 더 많은 컵에 ○표 하세요.

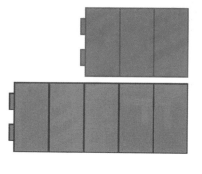

05 수만큼 ○를 그리고 개수가 더 적은 수에 △표 하세요.

3

2

06 파란 막대와 빨간 막대 중 길이가 더 짧은 막대에 △표 하세요.

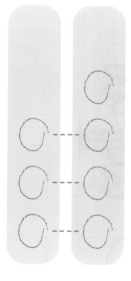

07 눈금이 있는 병에 우유를 따랐어요. 둘 중 우유가 더 적은 병에 △표 하세요.

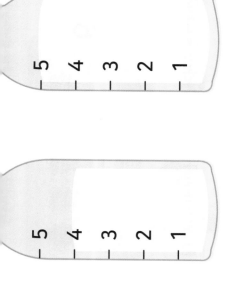

04 수를 차례로 써놓았어요.

1 2 3 4 5 6 7 8 9 10

둘 중 더 큰 수에 ○표 하세요.

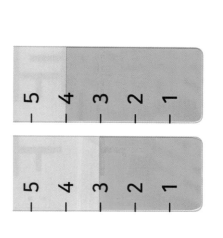

08 수를 차례로 써놓았어요.

1 2 3 4 5 6 7 8 9 10

둘 중 더 작은 수에 △표 하세요.

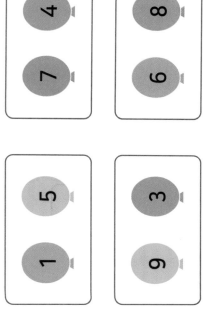

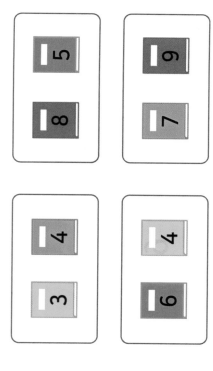

우리 아이 첫 수학은
유자수 가 답이다

보드마카와
붙임 딱지로
즐겁게

내 아이에게
딱 맞는
엄마표 문제

재미있게
스스로
반복학습

방송에서 화제가 된 바로 그 교재!

생각과 자신감이 커지는 유아 자신감 수학!

방송 영상

유자수 소개 영상

실력도 탑! 재미도 탑!
사고력 수학의 으뜸!

TOP 사고력 수학

6~7세

7~8세

초1~2학년

초2~3학년

알쓸신탑 :
알아두면 쓸데있는
신비한
탑사고력 수학!

TOP사고력 3가지 Check !

직접해봐! 직접 체험하면서 할 수 있는 풍부한 활동자료

의도가 뭘까? 더욱 더 친절한 해설 예비활동 / 학부모 가이드

어려워! 어려울 때 친절한 저자 직강 QR 코드로 고고!

|단계별 유아 원리 연산|

KIDS
키즈 수학 전문가가 만든 연산 교재

원리셈

천종현 지음

정답

5·6세 | **6권** | 크기 비교와 여러 가지 세기

천종현수학연구소

총괄 테스트

6권 크기비교와 여러 가지 세기

01 ○의 개수가 더 많은 쪽에 ○표 하세요.

02 파란색 블록과 빨간색 블록 중 더 높이 쌓은 블록에 ○표 하세요.

03 눈금이 있는 컵에 음료수를 따랐어요. 둘 중 음료수가 더 많은 컵에 ○표 하세요.

04 수를 차례로 써넣었어요.

1 2 3 4 5 6 7 8 9 10

둘 중 더 작은 수에 ○표 하세요.

05 수만큼 ○를 그리고 개수가 더 작은 수에 △표 하세요.

06 파란색 빨간색 막대 중 더 길이가 더 짧은 막대에 △표 하세요.

07 눈금이 있는 병에 우유를 따랐어요. 둘 중 우유가 더 적은 병에 △표 하세요.

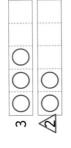 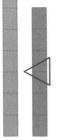

08 수를 차례로 써넣었어요.

1 2 3 4 5 6 7 8 9 10

둘 중 더 작은 수에 △표 하세요.

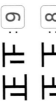

총괄 테스트

09 사탕을 세어 수를 쓰세요.

6

8

10 사과 5개를 ○로 묶고 사과의 개수를 세어 쓰세요.

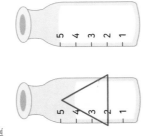

7

11 □ 안의 수만큼 색칠되도록 ○를 더 색칠하세요.

9

12 상자 안에는 빵이 5개가 들어 있어요. 전체 빵의 개수에 ○표 하세요.

7 (8)

(7) 6

13 펼쳐진 손가락의 개수에 알맞게 수를 쓰세요.

7

9

14 다음 나무 막대 수가 나타내는 수를 쓰세요.

卌 卌 : 10

卌 / : 6

15 모양으로 나타낸 수를 쓰세요.

正 正 : 9

正 下 : 8

16 그림에 알맞은 수를 쓰세요.

Ⅶ : 7

Ⅲ : 3

Ⅷ : 9

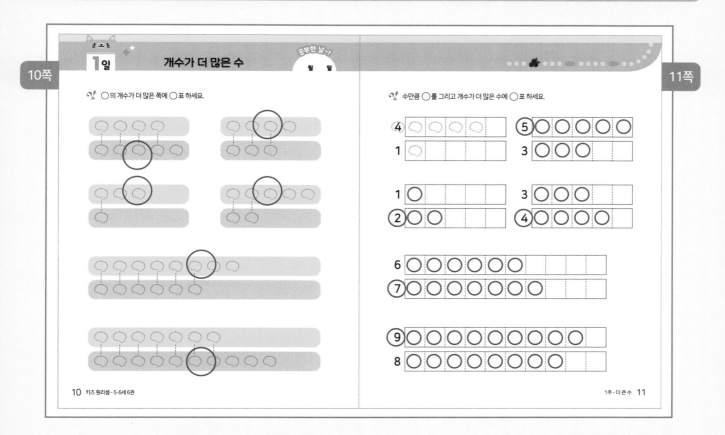

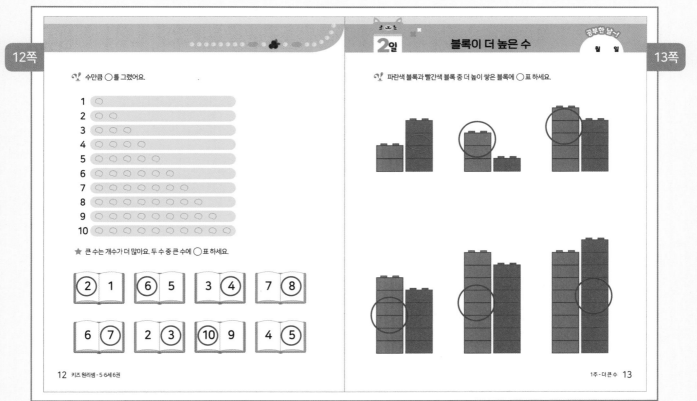

2일

14쪽

수만큼 블록을 색칠하고 블록이 더 높은 수에 ◯표 하세요.

1 ②

3 ⑤

④ 2

5 ⑦

6 ⑨

⑧ 7

15쪽

수만큼 블록을 쌓았어요.

1 2 3 4 5 6 7 8 9 10

★ 큰 수는 블록의 높이가 더 높아요. 두 수 중 큰 수에 ◯표 하세요.

③ 1   ⑤ 3   4 ⑥   8 ⑩

⑦ 5   2 ⑤   ⑧ 6   2 ④

3일 우유가 더 많은 수

공부한 날~! 월 일

16쪽

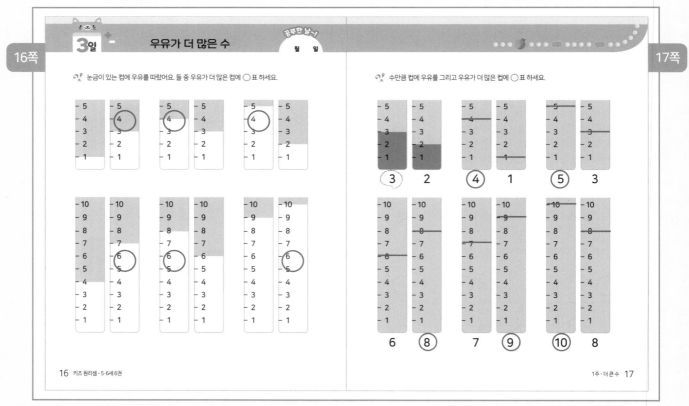

눈금이 있는 컵에 우유를 따랐어요. 둘 중 우유가 더 많은 컵에 ◯표 하세요.

17쪽

수만큼 컵에 우유를 그리고 우유가 더 많은 컵에 ◯표 하세요.

3 2   ④ 1   ⑤ 3

6 ⑧   7 ⑨   ⑩ 8

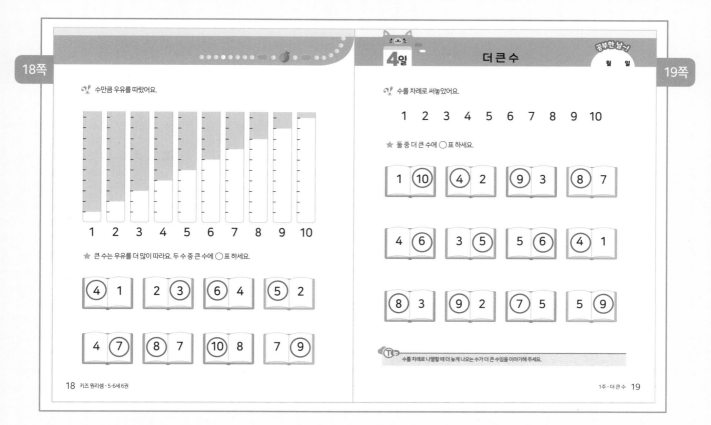

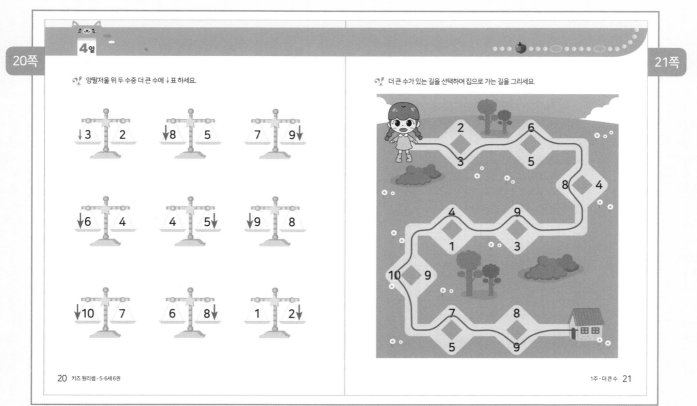

5일 사고력 팡팡 - 토끼와 당근

토끼가 집에 가는 길에 당근을 3개 주울 수 있는 길을 그리세요.

토끼가 집에 가는 길에 당근 1개와 무 1개를 주울 수 있는 길을 그리세요.

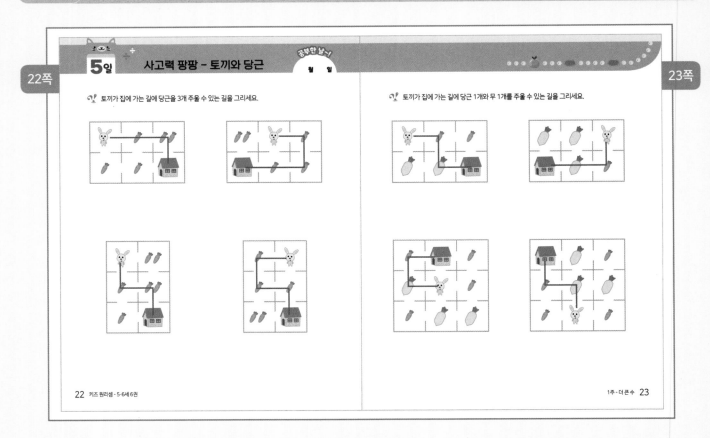

1일 개수가 더 적은 수

토끼가 집에 가는 길을 그리세요.

○의 개수가 더 적은 쪽에 △표 하세요.

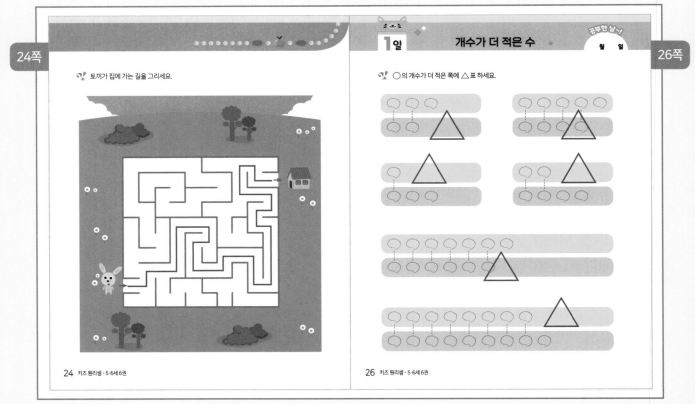

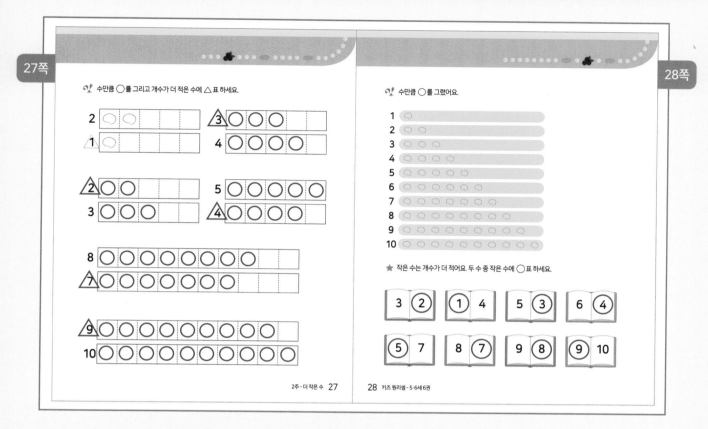

27쪽

수만큼 ○를 그리고 개수가 더 적은 수에 △표 하세요.

2주 · 더 작은 수 27

28쪽

수만큼 ○를 그렸어요.

★ 작은 수는 개수가 더 적어요. 두 수 중 작은 수에 ○표 하세요.

28 키즈 원리셈 · 5·6세 6권

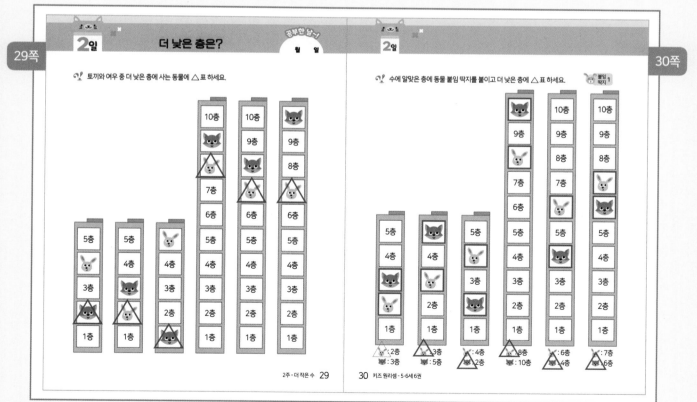

29쪽

2일 **더 낮은 층은?** 공부한 날 : 월 일

토끼와 여우 중 더 낮은 층에 사는 동물에 △표 하세요.

2주 · 더 작은 수 29

30쪽

2일

수에 알맞은 층에 동물 붙임 딱지를 붙이고 더 낮은 층에 △표 하세요.

30 키즈 원리셈 · 5·6세 6권

건물은 올라갈수록 층을 나타내는 수가 커지고 내려갈수록 수가 작아져요. 두 수 중 작은 수에 △표 하세요.

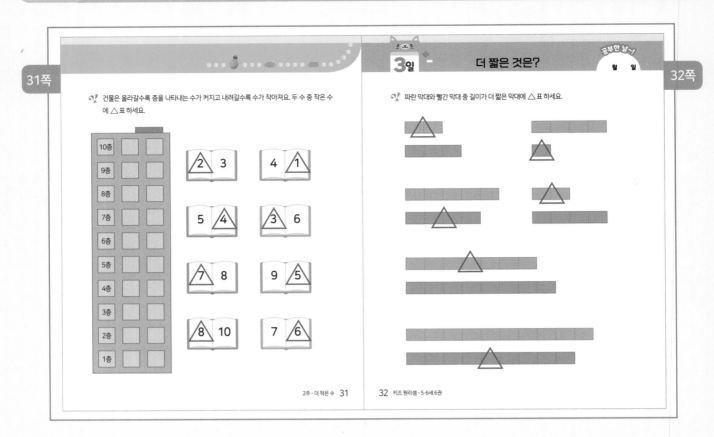

3일   더 짧은 것은?   공부한 날~!   월   일

파란 막대와 빨간 막대 중 길이가 더 짧은 막대에 △표 하세요.

수에 알맞은 막대 붙임 딱지를 붙이고 더 짧은 막대에 △표 하세요.   붙임 딱지 1

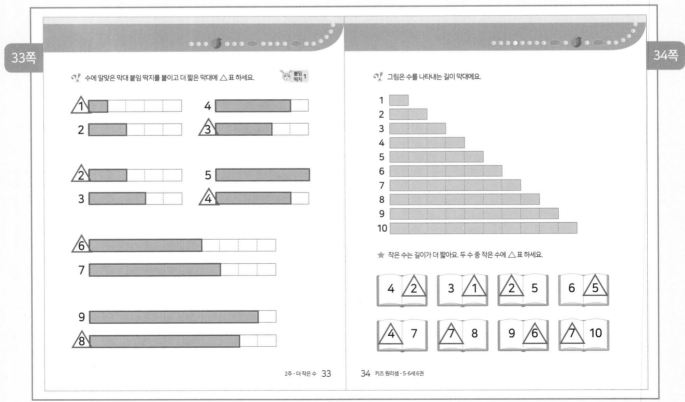

그림은 수를 나타내는 길이 막대에요.

1
2
3
4
5
6
7
8
9
10

★ 작은 수는 길이가 더 짧아요. 두 수 중 작은 수에 △표 하세요.

4 △2   3 △1   △2 5   6 △5

△4 7   △7 8   9 △6   △7 10

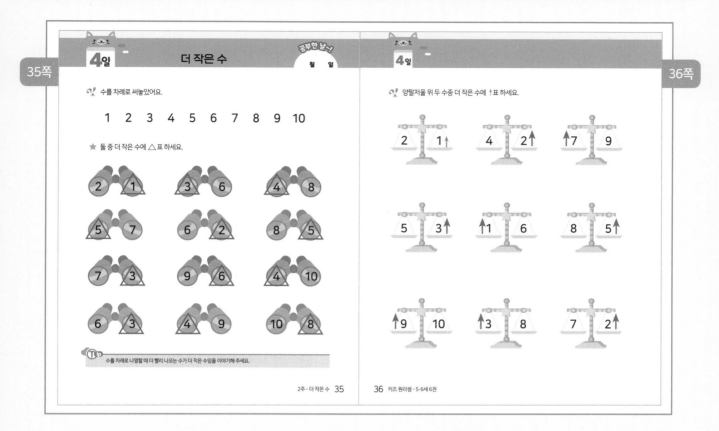

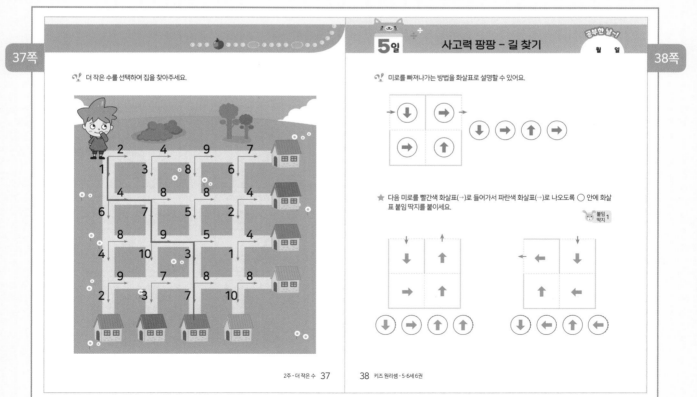

★ 다음 미로를 빨간색 화살표(→)로 들어가서 파란색 화살표(→)로 나오도록 ○ 안에 화살표 붙임 딱지를 붙이세요.

붙임 딱지1

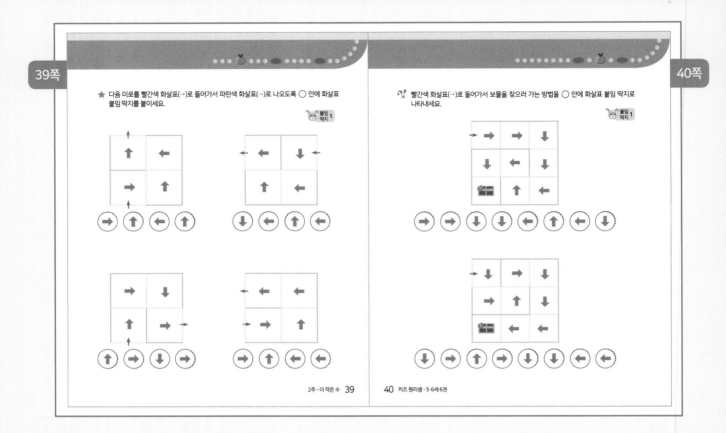

빨간색 화살표(→)로 들어가서 보물을 찾으러 가는 방법을 ○ 안에 화살표 붙임 딱지로 나타내세요.

붙임 딱지1

1일   5보다 큰 수

공부한 날~!
월   일

구슬을 세어 수를 쓰세요.

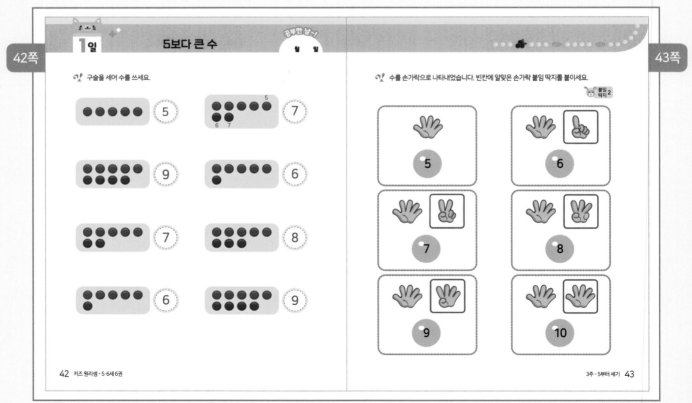

수를 손가락으로 나타내었습니다. 빈칸에 알맞은 손가락 붙임 딱지를 붙이세요.

붙임 딱지2

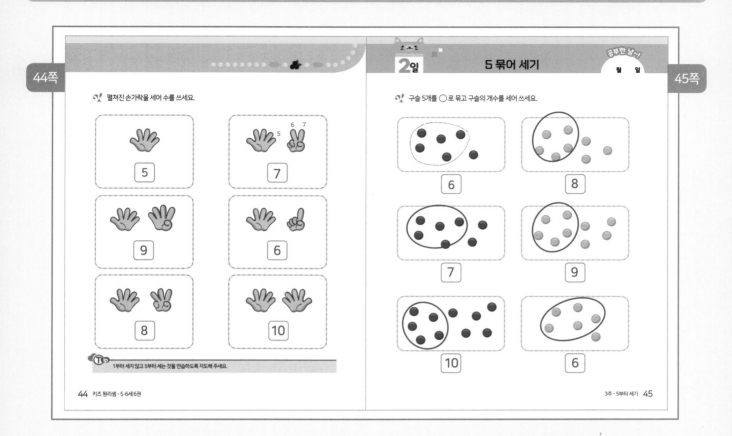

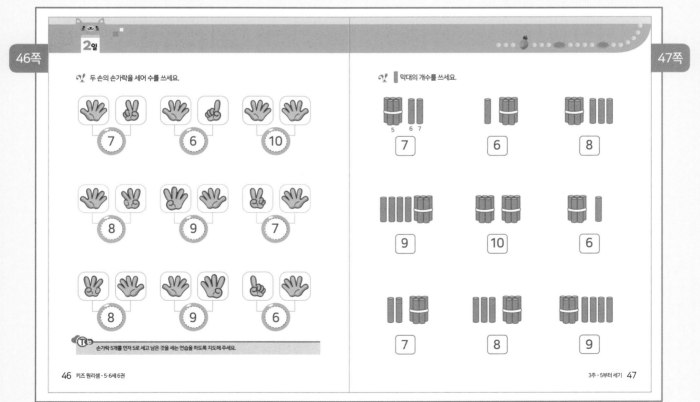

3일 5에 더하여 세기

그림이 모두 ◯ 안의 수가 되도록 붙임 딱지를 붙이세요.

붙임
딱지 2

◯ 안에 수만큼 색칠되도록 ☐ 를 더 색칠하세요.

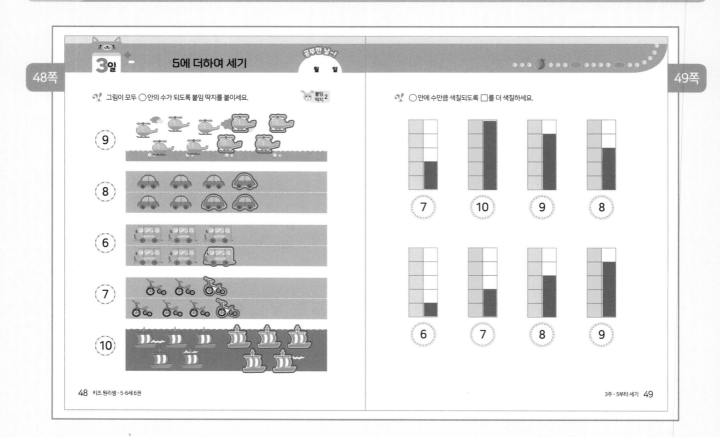

☐ 안의 수만큼 색칠되도록 ◯ 를 더 색칠하세요.

4일 보이지 않는 상자

상자 안에 구슬을 5개 넣고 뚜껑을 닫았어요.

★ 상자 안의 구슬을 포함한 구슬의 개수를 쓰세요.

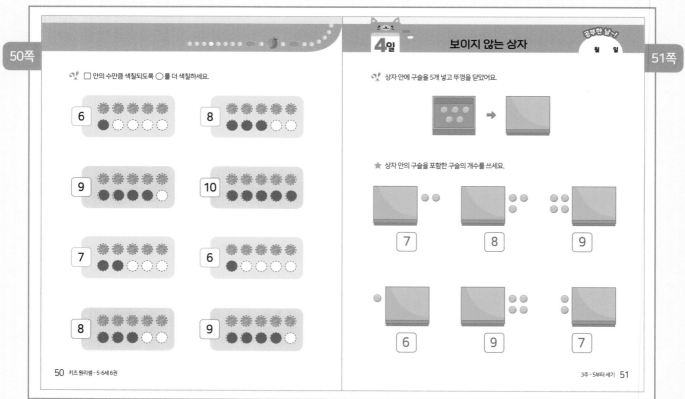

4일

안의 수는 전체 도토리 개수예요. 나뭇잎에 가려진 도토리 개수를 □에 쓰세요.

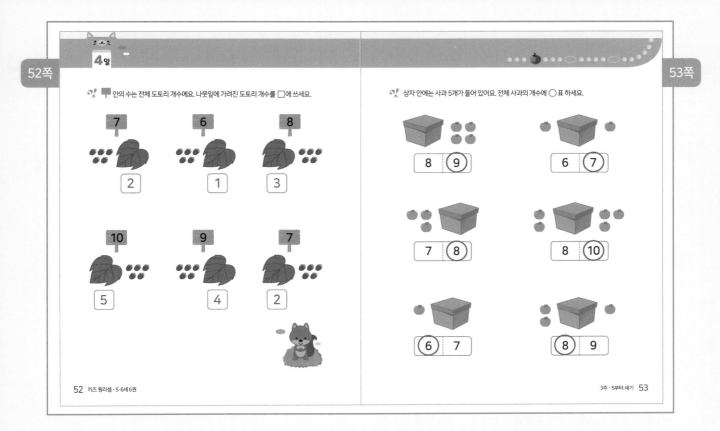

상자 안에는 사과 5개가 들어 있어요. 전체 사과의 개수에 ◯표 하세요.

5일 사고력 팡팡 – 한 번씩 지나는 길

공부한 날~!

월   일

빨간색 화살표(→)에서 시작하여 모든 칸을 한 번씩 지나 파란색 화살표(→)에서 끝나는 길을 그리세요.

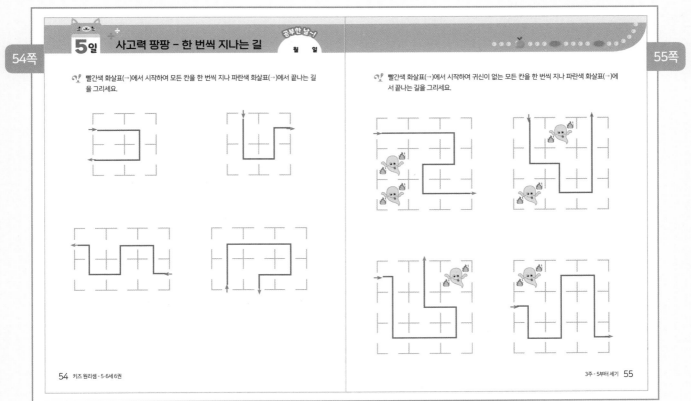

빨간색 화살표(→)에서 시작하여 귀신이 없는 모든 칸을 한 번씩 지나 파란색 화살표(→)에서 끝나는 길을 그리세요.

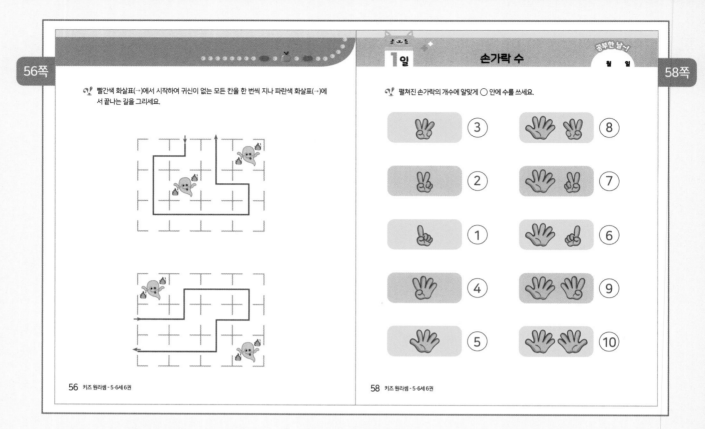

1일 손가락 수

빨간색 화살표(→)에서 시작하여 귀신이 없는 모든 칸을 한 번씩 지나 파란색 화살표(→)에서 끝나는 길을 그리세요.

펼쳐진 손가락의 개수에 알맞게 ◯ 안에 수를 쓰세요.

56 키즈 원리셈 - 5·6세 6권

58 키즈 원리셈 - 5·6세 6권

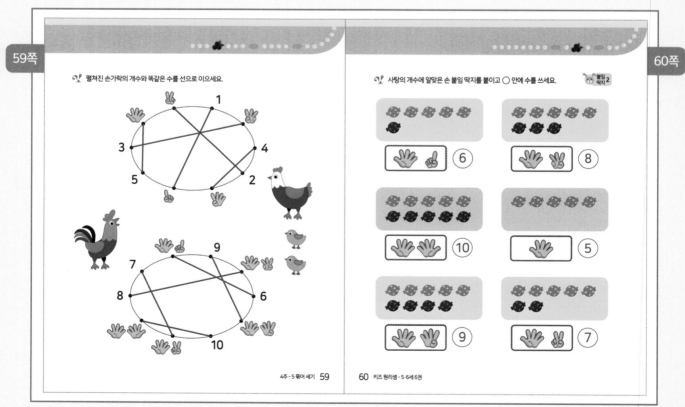

펼쳐진 손가락의 개수와 똑같은 수를 선으로 이으세요.

사탕의 개수에 알맞은 손 붙임 딱지를 붙이고 ◯ 안에 수를 쓰세요.

4주 - 5 묶어 세기 59

60 키즈 원리셈 - 5·6세 6권

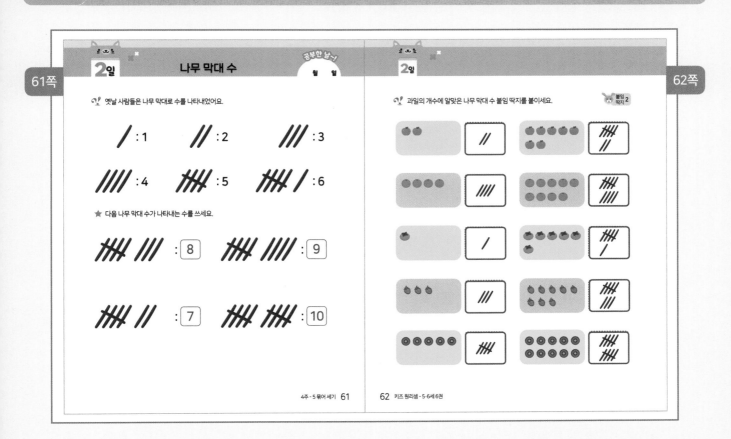

2일 나무 막대 수 공부한 날~! 월 일

옛날 사람들은 나무 막대로 수를 나타내었어요.

/ : 1   // : 2   /// : 3

//// : 4   ///// : 5   ///// / : 6

★ 다음 나무 막대 수가 나타내는 수를 쓰세요.

///// /// : 8   ///// //// : 9

///// // : 7   ///// ///// : 10

2일 붙임딱지 2

과일의 개수에 알맞은 나무 막대 수 붙임 딱지를 붙이세요.

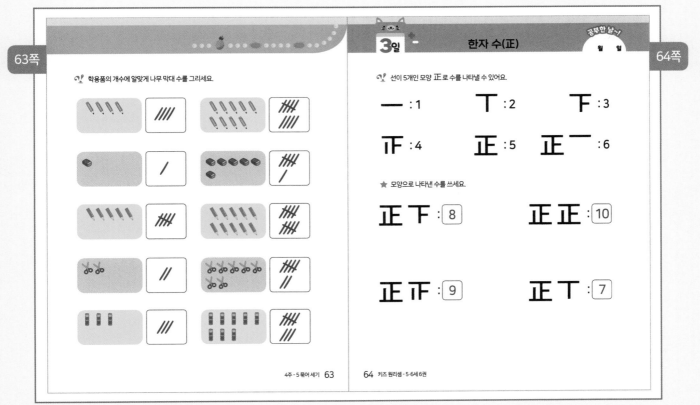

학용품의 개수에 알맞게 나무 막대 수를 그리세요.

3일 한자 수(正) 공부한 날~! 월 일

선이 5개인 모양 正로 수를 나타낼 수 있어요.

一 : 1   丁 : 2   下 : 3

正 : 4   正 : 5   正一 : 6

★ 모양으로 나타낸 수를 쓰세요.

正下 : 8   正正 : 10

正正 : 9   正丁 : 7

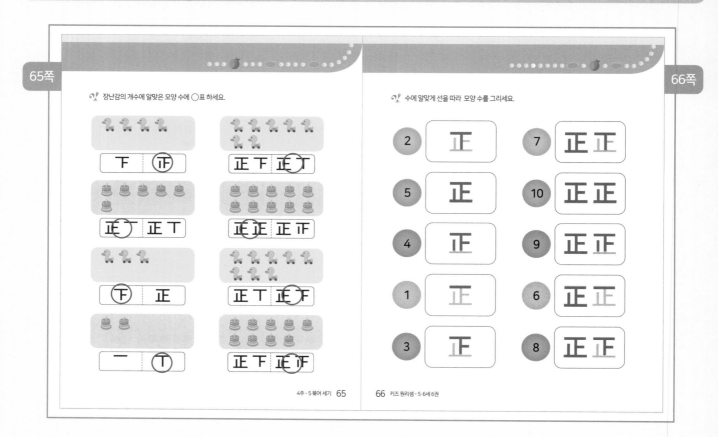

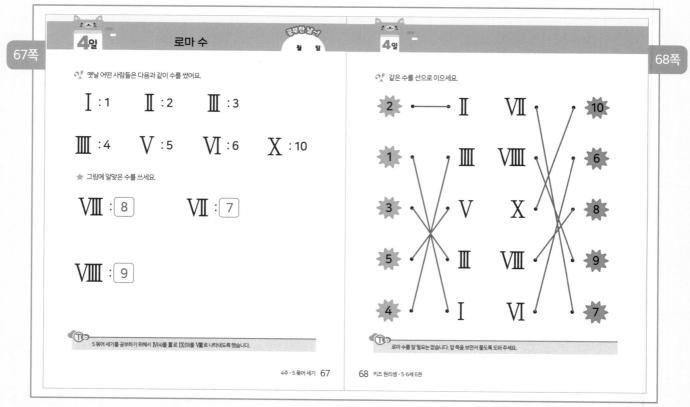

모양이 나타내는 수를 1부터 차례로 10까지 선으로 이으세요.

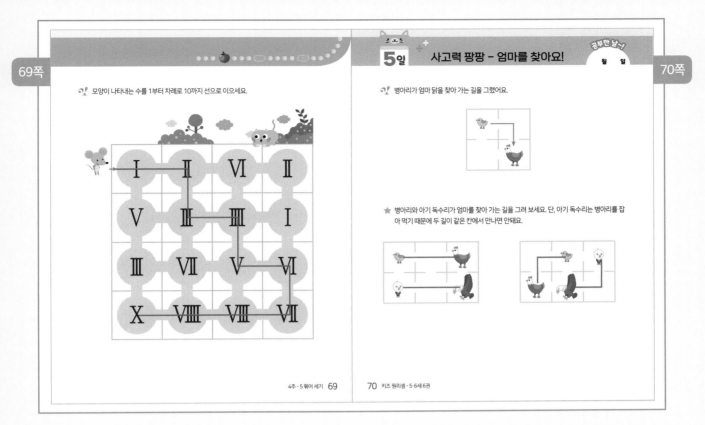

5일 사고력 팡팡 – 엄마를 찾아요!

공부한 날~!
월   일

병아리가 엄마 닭을 찾아 가는 길을 그렸어요.

★ 병아리와 아기 독수리가 엄마를 찾아 가는 길을 그려 보세요. 단, 아기 독수리는 병아리를 잡아 먹기 때문에 두 길이 같은 칸에서 만나면 안돼요.

★ 병아리와 아기 독수리가 엄마를 찾아 가는 길을 그려 보세요. 단, 아기 독수리는 병아리를 잡아 먹기 때문에 두 길이 같은 칸에서 만나면 안돼요.

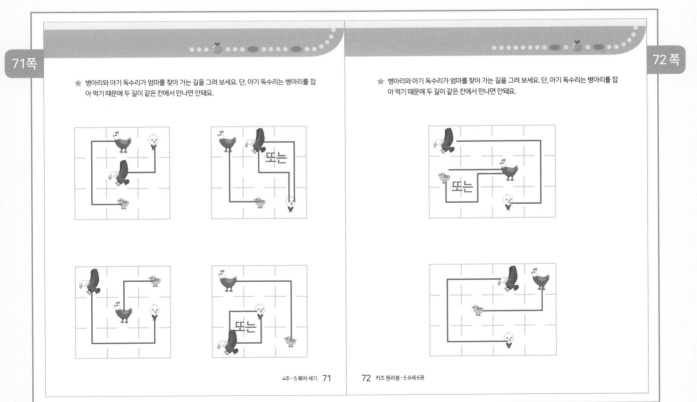

★ 병아리와 아기 독수리가 엄마를 찾아 가는 길을 그려 보세요. 단, 아기 독수리는 병아리를 잡아 먹기 때문에 두 길이 같은 칸에서 만나면 안돼요.

세분화된
원리 학습

다양한
유형의 연습

충분한
연습

성취도
확인

그 많은 문제를 풀고도 몰랐던

초등 사고력 수학의 원리 1
초등 사고력 수학의 전략 2

● 초등 사고력 수학의 원리 1

원리는 수학의 시작

● 초등 사고력 수학의 전략 2

문제해결은 수학의 끝

✔ **진정한 수학 실력은** 원리의 이해와 문제 해결 전략에서 나온다.

✔ **수학의 시작과 끝을** 제대로 알고 수학 실력 올리자!

✔ **재미있게 읽을 수 있는** 17년 초등 사고력 수학의 노하우

천종현수학연구소의 교재 흐름도

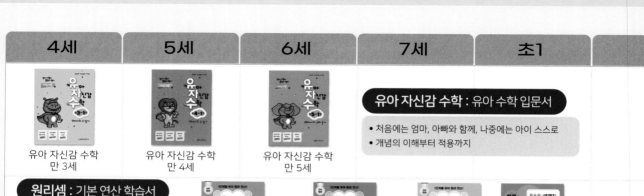

4세	5세	6세	7세	초1

유아 자신감 수학 : 유아 수학 입문서

- 처음에는 엄마, 아빠와 함께, 나중에는 아이 스스로
- 개념의 이해부터 적용까지

유아 자신감 수학 만 3세 / 유아 자신감 수학 만 4세 / 유아 자신감 수학 만 5세

원리셈 : 기본 연산 학습서

- 매일 10분씩 원리로부터 실력까지 연산의 완성!!
- 다양한 형태의 문제와 충분한 연습으로 쉽고 재미있게

키즈 원리셈 5, 6세 / 키즈 원리셈 6, 7세 / 키즈 원리셈 예비 초등 7, 8세 / 초등 원리셈 초등1

TOP사고력 : 사고력 수학의 으뜸

- 수학적 직관력 / 문제 이해력 기르기
- 영역별 나선형식 반복 학습 구조

탑사고력 K 단계 / 탑사고력 P 단계 / 탑사고력 A 단계

초2	초3	초4	초5	초6

초등 원리셈 초등2 / 초등 원리셈 초등3 / 초등 원리셈 초등4 / 초등 원리셈 초등5 / 초등 원리셈 초등6

탑사고력 A 단계 / 탑사고력 B 단계

TOP사고력 : 사고력 수학의 으뜸

- 수학적 직관력 / 문제 이해력 기르기
- 영역별 나선형식 반복 학습 구조

초등 사고력 수학의 원리 및 전략

- 원리의 이해와 문제 해결 전략을 통한 진정한 실력 향상
- 재미있게 읽을 수 있는 초등 사고력 수학의 노하우

초등사고력 수학의 원리 / 초등사고력 수학의 전략